# Les émotions

**Texte de Sophie Dussaussois**
**Illustrations de Magali Clavelet**

Ce matin, Léa va à l'école pour la première fois :
elle est ravie. Mais, dans la cour, il y a plein d'enfants
qu'elle n'a jamais vus. Soudain, Léa a mal au ventre.
Elle regarde ses pieds et se sent toute timide.
Léa serre très fort la main de son papa.

Léa a un peu **peur**. Elle ne connaît personne
à l'école et ne sait pas ce qui l'attend.
Toi aussi, quand tu fais une chose pour
la première fois, tu es partagé. Tu as envie
et peur à la fois. Tu veux, et tu ne veux pas.
Allez, du courage ! Pour devenir grand,
il faut apprivoiser la peur.

Quand son papa la laisse seule dans la salle de classe,
Léa a un gros chagrin. Elle pleure parce qu'elle est triste.
Cette **tristesse** lui remplit la tête comme un gros nuage
noir qui cacherait le soleil.

Au début, Léa se sent envahie par ce chagrin, qui pèse lourd sur son cœur. Mais pleurer fait du bien. C'est comme si la tristesse s'échappait à travers les larmes. Au bout d'un moment, elle devient plus légère. Et soudain, pfft ! la tristesse est partie !

Pour consoler Léa, Arthur lui prépare un bon chocolat chaud. En retour, Léa lui offre un thé au jasmin.
Arthur fait semblant de le cracher par terre.
Il dit : « Beurk, c'est du pipi de canari ! »

Léa éclate de rire. Son rire fait un joli bruit d'eau fraîche.
Il dégringole comme une cascade.

Quand quelqu'un rit, on rit aussi. Parfois, on ne peut même plus s'arrêter : c'est un fou rire ! Le rire est contagieux. Il offre un moment de **joie** que l'on partage avec les autres. Un moment comme un cadeau.

Allez, du calme ! C'est l'heure de la leçon. La maîtresse
a apporté de drôles d'animaux dans une boîte en verre.
Ce sont des phasmes. Ça alors ! On dirait des petits
bouts de bois. Léa n'a jamais vu ça. Elle est très étonnée
et ouvre de grands yeux ronds.

L'**étonnement** rend curieux. On pose des questions importantes : pourquoi l'eau coule du robinet ? Pourquoi le ciel est bleu ? Le monde est plein de mystères. En s'étonnant, on cherche à le comprendre.

Maintenant, la maîtresse demande aux enfants
de dessiner les phasmes. Mais Arthur n'y arrive pas.
Qu'à cela ne tienne, la maîtresse lui propose une autre
mission : donner à boire aux phasmes. Léa rouspète :
« Pourquoi lui et pas moi ? »

Léa ressent de la **jalousie**. Elle pense que la maîtresse préfère Arthur. Bien sûr, ce n'est pas vrai. La maîtresse veut seulement l'aider. Comme elle aide tous les élèves. Mais on n'a pas besoin que la maîtresse nous aide tous au même moment.

Après l'école, Léa rentre chez elle. En chemin,
elle passe devant une vitrine. Dedans, il y a une boîte
de peinture avec toutes les couleurs de l'arc-en-ciel.
Léa veut cette boîte.

Mais son papa a dit non. Oh! là, là! Léa se roule
par terre et hurle dans la rue devant tout le monde.
Léa est en rage.

Une **colère** qui explose, ça fait comme un coup
de tonnerre qui déchire le ciel. C'est impressionnant.
Pour se calmer, à chacun sa solution :
parler avec son doudou, taper dans
un punching-ball ou faire trois fois
le tour du jardin en courant !

Maintenant, Léa est calmée. Pourtant, elle boude !
Elle reste dans son coin, elle ne veut parler à personne.
Elle regrette d'avoir fait un caprice.

Après une telle **colère**, on se sent coupable et on a **honte**. On voudrait revenir en arrière pour tout effacer. Pourtant, c'est impossible ! Mais après des mots doux et un gros câlin, en général, tout s'arrange.

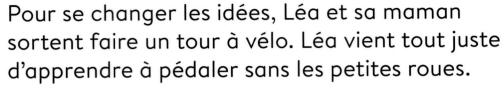

Pour se changer les idées, Léa et sa maman sortent faire un tour à vélo. Léa vient tout juste d'apprendre à pédaler sans les petites roues.

Elle file loin devant, comme le vent !

Grandir, c'est apprendre à faire de nouvelles choses :
enfiler son manteau tout seul, dessiner des bonshommes,
sauter très loin.

Et, si on n'y arrive pas du premier coup,
ce n'est pas grave. Petit à petit, on prend
confiance en soi. Et on se sent **fier**.

Après la balade, c'est l'heure du bain. Dans l'eau moussante, Léa joue avec son sous-marin en plastique.

Soudain, sa sœur, Zoé, lui prend son jouet. « Ah non alors ! Ça ne se fait pas ! » Léa se fâche tout rouge. La moutarde lui monte au nez. Grrr !

La **colère** est utile pour se défendre quand quelqu'un nous embête. Elle nous donne de l'énergie pour dire : « Non, je ne suis pas d'accord ! »

Mais il vaut mieux éviter de s'énerver. Quand la colère passe, plus tard, on peut discuter pour se réconcilier.

En entrant dans sa chambre pour enfiler son pyjama,
Léa aperçoit un monstre sur le mur ! Léa ne peut plus
bouger : elle a les jambes en coton, son cœur bat fort
comme un tambour. Léa hurle.

Son papa arrive en courant
et terrasse... la petite
araignée.

La **peur** nous prévient du danger. Une araignée,
ça peut piquer! Un monstre, ça peut nous dévorer!
Heureusement, le papa de Léa est là pour la rassurer.
Ouf! Sauvée!

Pour apprendre à se débarrasser des monstres,
le papa de Léa lui propose de lire l'histoire du Grand
Vilain poilu. Oh oui ! Léa l'adore, c'est sa préférée !
Elle frissonne de plaisir. Cette histoire lui fait
des petits guilis dans le creux du ventre.
Au début, les aventures du Grand
Vilain poilu font **peur**. Très peur.
Mais, à la fin, le gros vilain
se casse toutes les dents.

Hi, hi, hi !
Léa aime bien avoir peur,
surtout quand elle est bien
au chaud dans les bras
de son papa.

Parfois, tu n'es ni triste, ni joyeux, ni en colère.
Comme Léa en ce moment. Elle est calme et tranquille :
elle rêve qu'elle habite dans une belle cabane,
tout en haut d'un arbre.

Quand tu dessines, que tu joues dans ta chambre ou que tu rêves sans dormir, tu passes un moment serein. Cette **sérénité** est agréable et douce. Comme si tu étais allongé dans un hamac, les yeux tournés vers les nuages.

Bien au chaud dans son dodo, Léa raconte sa journée
à Doudou. Elle a pleuré et s'est mise en colère.
Elle a été étonnée et a bien ri aussi.

Léa a traversé plein d'**émotions** aujourd'hui.
Ces émotions servent à se sentir vivant.
Imagine, si tu étais un robot ! Tu n'aurais ni rire,
ni larmes, ni étonnement, ni colère. Quel ennui !

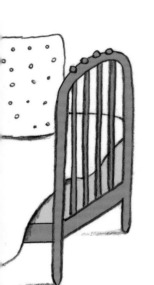

Pour reconnaître tes émotions,
tu peux construire des boîtes
de toutes les couleurs :
une jaune pour la tristesse,
une noire pour la peur,
une rouge pour la colère...

Et pour la joie ? Allez, à toi de choisir !

# Découvre tous les titres de la collection

mes p'tits **pourquoi**

Zizis et zézettes

Les émotions

La mort

Chez l'orthophoniste

Bêtises et limites

Les allergies alimentaires

La surdité

Le divorce

Le sommeil

Frères et sœurs

L'autisme

Les mensonges